raemidays

강아지 래미와 함께한 첫 일 년간의 기록

글 · 그림 김민지

부족했던 〈래미데이즈〉 초판에
여러분께서 관심과 사랑을 주신 덕분에
이렇게 개정판이 나올 수 있었습니다.
래미와의 이야기를 들어주시고
따뜻하게 바라봐 주신 모든 분께
진심을 담아 감사의 인사를 드립니다.

2020년 10월,

보호소에서 첫 번째로 보았던 말티즈 한 마리. 정말 식상한 표현이지만, 그 아이의 눈에는 우주가 담겨있었다. 가까이서 들여다보자 새카맣고 깊은 눈 위에 빛이 잔뜩 반짝이고 있어 정말이지 빨려 들어가는 듯했다. 그것은 하나의 세계였다. 강아지의 눈은 이렇게나 예쁜 거구나 하고 새삼 생각했다. 거기다 밖으로 나가고 싶어 애를 쓰는 두 발은 나를 데려가 달라고 말하는 듯했다. 연이어 다른 아이들도 더 만나보았지만 나는 그 말티즈의 커다란 눈이 계속 마음속에 떠올랐다. 사실 남편은 다른 어린 아가를 데려오고 싶어 했지만 실제로 보니 에너지가 엄청나서 주보호자가 될 내가 감당하지 못할 듯했다. 우리는 여러 가지 이유로 첫 번째로 본 성견 말티즈를 가족으로 맞이하기로 결정하고, 입양 서류를 쓰고 돌아갔다.

며칠 뒤 입양 당일, 보호소에 도착하니 예쁜 새 옷을 입은 래미가 기다리고 있었다. 오전에 내장칩을 넣었다고 하셨는데 이제는 정말로 무를 수도 없이 공식적으로 우리집 강아지가 된 것이다. 반드시 이동장을 가지고 오라고 당부하셨기에 담요를 푹신하게 깔아서 준비해 갔는데, 래미가 너무나 안에 들어가기 싫어했다. 미안했지만 결국 모두의 도움을 받아 억지로 안에 넣고 문을 닫았다. 보호소 관계자분들께 인사를 드리고 이동장 안에서 바둥거리는 래미와 차에 탔다. 집까지 가려면 한 시간 정도는 가야 했는데 래미는 이동장 문을 엄청나게 물고 긁어대기 시작했다. 계속 낑낑대면서 나가려고 애를 쓰는데 흥분이 쉽게 잦아들지를 않아서, 보호소에서 사람들에게 얌전하게 안겨있던 강아지가 맞나 싶었다. 하지만 안전을 위해 꺼내줄 수는 없었고 급하게 안으로 간식을 조금 넣어 줬는데 그마저도 먹질 않았다. 어떻게 해야 하나 고민하다 닫혀있는 이동장 문 안쪽으로 손가락을 넣어 엄마 냄새를 맡게 해주었다. 해치지 않는다는 의미로 만지지는 않았고 손가락만 이동장에 걸쳐 계속 넣어두었다. 그리고 가는 내내 "괜찮아, 괜찮아" 차분한 목소리로 말을 건넸다. 사실은 예상 못 한 상황이 아주 당황스러웠기에 태연한 척 연기하며 내뱉는 "괜찮아"라는 말은 나를 위한 주문이기도 했다. 앞에서 운전하는 남편도 걱정이 되었겠지만 뒤돌아 볼 수도 없이 그저 숨죽여 운전에 집중할 수밖에 없었다. 긴장감이 감도는 차 안의 공기를 느끼며 '앞으로 괜찮을까? 내가 잘 돌볼 수 있을까?' 속으로는 이런저런 생각이 들었지만, 이제는 어떻게든 해야만 한다. 최대한 마음을 가라앉히며 래미에게, 그리고 나 자신에게 "괜찮아, 괜찮아"를 되풀이했다. 다행히 래미는 시간이 지나면서 조금씩 진정이 되었는지 간식도 조금 먹더니, 드디어 웅크리고 누웠다.

집에 도착해서 이동장을 활짝 열어주자, 래미는 새로운 곳이 신이 나는 듯 거실을 한 바퀴 슈웅- 전력 질주하더니 집안을 이곳저곳 탐색하며 열심히 돌아다녔다. 그러다가 별안간 현관문 앞에 앉아서 아우우~ 하울링을 반복했는데, 왠지 밖으로 나가고 싶어 하는 것만 같이 느껴졌다. 입양 후에는 강아지들이 집에 적응할 때까지 며칠간 기다려 주고 나서 안정이 된 뒤에 산책하라고 들었기에 첫날 산책은 생각지도 않고 있었건만, 하네스와 리드줄을 미리 준비해 놓아서 천만다행이었다.

그렇게 우리 셋은 갑작스럽게 다 같이 첫 산책을 나갔는데, 래미는 힘이 얼마나 넘치는지 작은 몸집으로도 남편을 이리저리 끌고 뛰어다녔다. 소형견도 힘이 이 정도인데, 더 큰 아이를 데려왔으면 큰일 날 뻔했다. 해가 져서 캄캄한 저녁 남편은 뜻밖의 운동을 하고 나는 뒤에서 핸드폰 플래시를 비추며 뒤를 따라다니면서 래미의 응아를 주웠다. 바깥을 탐색하고 마킹도 잔뜩 하고 돌아오니 래미는 드디어 만족한 듯 보였다.

래미는 집에서 전혀 숨거나 눈치 보는 일도 없었고 밥도 곧잘 먹었다. 배변판에 스스로 쉬도 잘 했다. 방석이 자기 건지 말도 안 했는데 그걸 또 어떻게 알았는지 자연스럽게 올라가서 몸을 웅크리고 눕기도 했다. 새로운 장소와 우리를 궁금해하기는 했지만 행동은 너무 당당했다. 마치 이곳이 자신을 위해 준비된 곳이라는 것을 아는 것처럼.

남편과 거실에 앉아 가만히 이 작은 생명체를 관찰했다. 눈은 반짝반짝 빛났고 새하얀 속눈썹이 내려앉아 있다. 코는 동글동글 촉촉했고 털은 보들보들해 보였다. 발바닥은 말할 것도 없이 귀여워서 미소가 절로 지어진다. 이런 사랑스러운 모양을 두 쌍이나 가지고 있다니. 래미가 귀를 뒤집고 누워 있어서 귀 안쪽까지 보였는데, 나는 자연에 이런 베이비핑크가 존재하는지 처음 알았다. 아마 이 색은 털 속에 가려진 피부밑에 흐르는 혈관이 비치는 거겠지. 이렇게 따뜻한 피가 흐르고 배가 오르락내리락하며 숨을 쉬는 새로운 생명체가 우리 집에 자리하고 있으니 참 이상하고 비현실적이라는 생각이 들었다. 나도 전부터 강아지를 좋아하긴 했지만 이렇게 가까이서 오랫동안 찬찬히 관찰할 일이 있었던가. 너무 귀여워서 쓰다듬고 싶은 마음이 굴뚝같지만, 래미가 쉴 수 있도록 만지지는 않고 조용히 바라보았다.

내일 남편은 출근해야 하는데 강아지랑 단둘이 남겨질 걸 생각하니 갑자기 어색하게만 느껴졌다. 불을 끄고 자려고 누워서도 머릿속에는 이런저런 생각들이 떠돌았고, 집을 탐색하는 래미의 토독토독 발소리도 한동안 이어져서 첫날은 제대로 잠을 못 잤다.

2020년 11월,

걱정했던 것과 다르게 래미는 집에서 얌전한 편이었다. 때가 되면 킁킁거리며 돌아다니다가 배변판에 가서 쉬도 잘 했고, 밥을 주면 남김없이 잘 먹고, 물건을 건드리거나 망가뜨리는 법도 없었다. 우리가 밥을 먹으면 아련한 눈빛 공격을 했지만 절대 밥상에 달려들지는 않았다. “손”이랑 “앉아” 정도는 알고 있는 걸 보니 기본 교육은 되어 있었다. 분명히 사람과 함께 지냈던 강아지이다. 래미는 곧 내 옆에서 같이 자게 되었고 우리를 잘 따라주는 듯했지만, 몸을 만지는 건 으르렁거리며 좋아하지 않아서 마음을 열어줄 때까지 불필요한 터치는 하지 않기로 했다.

그 외에도 아직 서로가 배우고 적응해야 할 것이 태산이었지만 가장 큰 어려움은 집 안에 있을 때는 외부 소리에 짖고, 산책하러 가면 다른 사람들과 동물들을 보고 아주 우렁차게 짖는다는 것이었다. 조그마한 몸에서 어떻게 이런 소리가 나는지 신기할 정도였다. 특히 현관문 밖에서 소리가 나면 매번 짖었는데, 아파트에 거주하고 있어 민원이 들어올까 봐 나는 짖음이 많이 신경 쓰였다. 소리가 날 때마다 짖지 않아도 괜찮다는 걸 알려주려고 엄청나게 노력했다. 현관문을 열어서 아무것도 없는 걸 보여주기도 하고, 하품도 해 보고, 무시도 해 보고, 엄마가 현관을 확인하고 온 뒤 안전하다는 의미로 손 냄새도 맡게 해 주었다.

그 다음 문제는 산책이었다. 강아지는 산책이 필수라는데, 마주치는 사람마다 짖으니 힘들게 거의 도둑 산책을 해야 했다. 이런 인간의 사정과는 상관없이 래미는 산책 준비만 해도 엄청나게 신이 나 보였다. 나가면 한껏 말려 올라간 꼬리에 엄청나게 빠른 발걸음으로 신나게 걸었고 구석구석 마킹도 열심히 했다. 나무기둥

이나 울타리에 기대어 물구나무서서 쉬도 하고 응아도 했는데 그 모습이 신기하고 웃기고 귀여웠다. 강아지가 너무나 좋아하니 매일매일 나갈 수밖에 없었다. 일단은 혼잡한 등교와 출근 시간이 지난, 사람들이 별로 없는 오전 중에 산책을 나갔다. 그렇게 매일 아파트 단지 안을 함께 걸으면서 조금씩이지만 우리의 호흡이 맞아가는 것이 느껴졌다. 처음에는 래미가 앞장서서 엄청나게 뛰어다녀서 내가 끌려다니곤 했는데, 점점 서로를 인식하고 발걸음을 맞춰가는 감각이 신기했다. 그리고 산책이란 생각보다 멀티태스킹이 필요한 일이었다. 내 강아지를 주시하면서 배변 처리도 해야 하고 앞에 위험한 것은 없는지, 저 멀리에 사람들은 없는지 봐야 했다. 가까운 곳도 먼 거리도 동시에 이것저것 다 신경 써야 했기 때문에 몸도 힘들었지만 무엇보다 정신이 없었다. 그래도 2주 정도 매일 하다 보니 나도 같이 걸으며 주변을 보는 것이 차츰 익숙해졌다. 이제 곧 추운 겨울이 와서 다른 강아지들이 산책을 덜 나오는 동안에 래미와 나는 매일매일 나와서 산책을 많이 해 둬야겠다고 다짐했다. 밖에 나와서 걸으니 계절이 온몸으로 느껴졌다. 하늘은 새파랗게 높고 길가에 낙엽이 제멋대로 뒹굴거린다. 래미는 색색의 나뭇잎들을 사박사박 헤치고 다니더니 왼쪽 뒷다리에 새빨간 단풍 나뭇잎을 하나 붙이고 내 앞을 총총총 걸었다. 신기하게도 그 나뭇잎은 떨어지지 않고 계속 래미의 다리에 붙어 있었다. 산책은 꽤 평화롭고 귀엽고 즐거운 순간들이 많다는 걸 깨달았다.

병원에 처음 가서 건강검진도 했는데 탈장이 있다는 건 이미 알고 입양했지만, 유선종양도 있다고 했다. 그 외에는 전체적으로 건강한 편이라고 했지만 걱정이 되었다. 당장 급한 것은 아니지만 후에 수술을 생각하지 않을 수 없었다. 공고에서는 세 살 추정이라고 했지만 병원에서는 다섯 살쯤 된 것 같다고도 하셨다.

2020년 12월,

산책을 꾸준히 하며 여러 가지 교육도 병행했다. 래미는 예민하고 쉽게 흥분하는 강아지여서 앞으로를 위해서는 꼭 규칙이 필요했다. 래미는 손, 앉아, 뽀뽀 정도는 이미 잘했기 때문에 엎드려 교육을 해 보기로 했다. 래미는 간식을 꺼내기만 하면 곧바로 집중하고 하나라도 더 얻어먹기 위해 애를 썼다. 처음엔 "엎드려"라는 명령어가 뭔지 모르니까 손도 줘 보고, 앉아도 보고, 이건가? 저건가? 할 줄 아는 것들은 다 시도를 하는데 그 모습이 진짜 너무 귀여웠다. 이거 맞아? 라고 말하는 듯 두 눈을 동그랗게 뜨고 바라본다. 이런 과정에서 교감이 된다는 것이 느껴졌다. 그렇게 몇 주를 천천히, 꾸준히 반복하다 보니 드디어 엎드려를 할 수 있게 되었다. 래미는 노력하는 강아지였고 내가 원하는 바를 이해하려고 했기에 늘 나에게 관심을 기울였다. 이 작은 생명체가 참 고맙고 기특해서 더더욱 사랑스러워졌다. 그리고 내가 새로운 걸 가르쳤다는 사실이 너무 신기하고 뿌듯했고, 교육을 통해 나 또한 배우고 성장할 수 있었다. 래미의 행동을 관찰하며 이해하려 노력하게 되었고 인내심을 가지고 나를 내려놓는 법도 배웠다. 그리고 세상에는 안 되는 일은 없다는 생각도 들었다. 물론 어떤 일은 시간도 오래 걸리고 과정은 험난할 수도 있지만 천천히 조금씩, 포기하지 않고 행동해 나간다면 언젠가는 원하는 결과에 성큼 다가설 수 있겠구나 하는 것을 래미 덕분에 깨달았다.

하지만 산책 중 교육만큼은 아직 불가능했는데, 집에서는 간식만 있으면 그렇게 먹으려고 노력하는데도 밖에서는 어떤 간식도 전혀 먹지를 않았다. 산책을 아주 좋아하지만 걷고 냄새 맡는 데에만 관심이 있었고, 밖에서는 잠깐 멈춰서서 간식을 주면 안 먹고 불안한 듯 주변을 둘러보곤 했다. 이런 상황에서는 래미가 칭찬

받을 일을 하더라도 보상으로 잘했다는 인식을 시킬 수가 없으니 교육이 의미가 없었다. 그래서 우선은 속도와 방향을 맞추어 함께 걷는 것에만 집중하고 다른 사람이나 강아지는 최대한 피해 다니며 좀 더 기다려 보기로 했다.

이제는 제법 래미가 먼저 다가와서 애교도 부리게 된 듯하다. 의자에 앉아있는 나에게 다가와서는 폴짝, 일어나서 앞발을 올리고 내 눈을 바라본다. 아마 뭔가 먹고 싶거나 심심한 게 아닐까. 아직은 무엇을 말하고 있는지 알아채는 것이 쉽지만은 않다.

래미는 종종 앞발을 핥곤 했는데, 횟수가 늘어나고 점점 심하게 핥더니 결국 발가락이 붓고 피가 나는 지경이 되었다. 급하게 천으로 된 꽃 모양 넥카라를 사다가 씌워주었다. 그런데 안 그래도 귀여운 강아지가 더 귀여워져 버렸다. 집 안에 커다란 꽃 한 송이가 피어나 늘 나를 주시한다. 래미는 다행히 폭신한 넥카라를 좋아해 주는 것 같았다. 누우면 넥카라가 래미의 머리를 받쳐주니까 베개처럼 잘 쓰고 있었고, 더 이상 핥지 못하는 앞발은 연고와 함께 서서히 딱지가 생기며 아물어 갔다.

2021년 01월,

겨울 산책은 춥긴 하지만 그래도 할 만하다. 오히려 춥다고 너무 껴입고 나가면 얼마 안 있어 등에서 땀이 나기 시작한다. 그래서 처음 밖에 나갔을 때 살짝 서늘한 정도로 입는 것이 좋다. 대신 손만큼은 엄청나게 시려워서 장갑은 필수다. 줄도 잡아야 하고 배변 처리도 해야 해서 손을 써야 하는 데다 산책 중에는 늘 돌발상황이 생길 수 있어 손을 주머니에 넣는다는 건 절대 있을 수 없는 일이기 때문이다. 외출할 때는 춥지 않도록 래미도 패딩을 입혀서 나간다. 래미는 겨울을 나는 동안 단 한 번도 추워서, 눈이 와서 못 걷겠다고 한 적이 없다. 아무리 찬 바람이 불어도 눈이 잔뜩 쌓여 있어도 래미는 전혀 개의치 않고 총총총 신나게 잘 걸어 다닌다.

다른 강아지들이 많이 나오지 않는 틈을 타 겨울에 더 산책 연습을 시켜둬야겠다고 생각해서 열심히 다녔다. 유난히도 춥고 눈이 자주 온 겨울이었다. 영하 13~15도로 떨어질 정도의 엄청나게 추운 날은 무리해서 나가지 않기도 했지만, 그 정도가 아니라면 해가 뜬 낮에 짧게라도 매일 같이 나갔다. 눈이 온 뒤에는 길에 염화칼슘을 뿌려놓아서 강아지 발에 화상을 입지 않도록 피해 다녀야 하고, 우리 강아지는 질척하게 녹은 눈을 아무렇지도 않게 밟고 다니니 나갈 때마다 매번 다리까지 새카맣게 변해 집에 돌아와서 꼼꼼히 씻겨야만 했지만 전혀 귀찮지 않았다. 네가 아니었으면 내가 이런 추위에 바깥공기를 한 번이라도 쐬어봤을까.

래미를 데려온 이후부터 머리를 계속 길러주게 되었다. 처음엔 미용 주기를 잘 몰라서 방치한 것에 가까웠는데, 그래도 장모종인 말티즈라면 한 번쯤은 머리가 긴 모습을 보고 싶다는 생각에 길러보기로 결심했던 것이다. 그렇게 한동안 털 정리가 안 되던 래미였는데, 드디어 미간 털이 많이 길어서 핀을 꽂을 수 있게 되었다. 머리를 기르면 해 줄 생각에 전부터 사 두고 기다렸던 강아지 핀이 많았는데 이제 꺼낼 때가 된 것이다. 리본과 큐빅으로 장식된 핀은 래미에게 너무나 예쁘게 잘 어울렸다. 하지만 처음에는 서투른 엄마의 손길에 으르렁대기도 하고, 핀을 꽂아주면 불편한지 손으로 자꾸 빼내려고 했다. 그래서 적응시키는 방법으로 산책 준비를 다 마친 뒤, 마지막으로 핀을 꽂고 바로 밖으로 나가기로 했다. 산책을 아주 좋아하는 래미는 나가면 다른 건 아무것도 신경 쓰지 않을 테니 핀을 계속 하고 있을거라 생각했다. 결과는 대성공! 걷고 냄새 맡느라 핀의 존재는 까맣게 잊은 래미는 집에 돌아온 뒤에도 자연스레 핀을 하고 있게 되었다. 어쩌면 핀을 꽂고 바로 산책을 나가니, 핀은 좀 불편해도 좋은 것이라고 생각했는지도 모르겠다.

집에서 넥카라는 여전히 하고 있다. 빼면 아직 종종 발을 핥아서 예방 차원으로 해 주는데, 집안에 폭신한 꽃 한 송이가 돌아다닌다는 건 참 귀여운 일이다.

2021년 02월,

머리가 꽤 길어서 어찌저찌 사과머리도 할 수 있게 되었다. 핀은 잘 적응해 주어서, 이제는 빗질과 머리 묶는 것에 익숙해지는 중이다. 아직은 머리도 좀 더 길어야 하고 고무줄을 다루는 엄마의 손길도 서툴다. 그래도 꽤 잘 참아주는 래미이다.

강아지들이 산책가면 뒷발차기를 한다는 말을 들은 적이 있는데 래미는 지금까지 마킹은 엄청나게 잘했지만, 뒷발차기는 해 본 적이 없었다. 그러다 이번에 처음으로 산책 중에 뒷발차기를 했다! 자신감이 넘칠 때 이런 행동을 한다는데, 의기양양해 보이는 래미를 보니 너무너무 귀엽다. 한 번 하고 나니 나갈 때마다 조금씩 뒷발차기의 횟수가 늘어나는 것 같다.

그래서 우리 집과 집 주변이 익숙해졌나? 엄마랑 하는 산책이 이제 많이 편해졌나? 싶어서 한 번 간식을 작게 잘라서 가지고 나가보았다. 그동안은 아무리 좋아하는 간식도 밖에만 나오면 통 먹질 않아 산책 갈 때는 배변 봉투 이외에는 아무것도 들고 나가지 않았었다. 설레는 마음으로 주머니에 간식을 넣고 산책을 시작했다. 처음엔 평소와 다를 것 없이 열심히 걷고 마킹을 하다가, 아무도 없는 곳에서 잠시 멈춘 뒤 간식을 한 알 줘 보았다. 래미가 다가와서 손에 있는 간식 냄새를 맡더니, 드디어 밖에서도 간식을 먹었다…?! 더 달라고 앞발을 들고 점프까지 한다. 정말이지 이 감정을 어떻게 표현해야 할까, 너무 놀랍고 충격적이기까지 했다. 아이가 첫 걸음마를 떼는 순간의 부모 마음과 비슷할까? 기쁨을 넘어선 벅찬 감동이 가슴 속에서 일렁였고 눈물마저 날 뻔했다. 그 뒤 걷다가 멈춰서서 이름을 부르고 엄마 눈을 보면 간식을 주는 걸 반복했다. 그랬더니 그동안 밖에서 간식을 먹지 않았던 것이 완전히 거짓말이었던 것 처럼, 엄마의 눈을 응시하고 집중하기 시작한다. 나중에는 심지어 엄마 간식 더 없어? 하는 눈으로 앞서 걷던 강아지가 한 번씩 뒤돌아보기까지 했다. 다음날에도 간식을 가지고 나가니 엄마에게 집중해 주었고, 이번에는 지나가는 사람을 보고도 짖지 않았다. 우리 래미가 마음이 편해지고 한 단계 더 성장했구나. 정말 신기하고 너무너무 예쁜 우리 강아지. 엄마를 믿어줘서 고마워.

래미가 많이 좋아졌지만 아직 맘놓고 산책하기엔 한참 멀었는데, 단지 산책 중 오프리쉬(강아지에게 산책줄을 하지 않은 상태) 강아지를 몇 번 만났다. 다행히 대부분은 멀리 있을 때 발견해서 금방 피했지만, 오프리쉬를 만나면 굉장히 불쾌하다. 래미는 다른 강아지에게 예민하고, 이런 상황이 닥치면 조심해서 피하는 건 결국 우리이다. 오프리쉬는 아무리 그 강아지가 얌전하다 해도 견주가 의도적으로 자기 강아지를 통제하지 않는다는 점에서 다른 사람에게 피해를 주는 것이다. 강아지를 무서워하는 사람, 강아지를 싫어하는 강아지도 많이 있다. 오프리쉬를 만나면 래미는 엄청나게 짖고 흥분해서, 지금까지 교육한 것들이 와르르 무너지는 느낌이다. 무엇보다 오프리쉬는 불법이니 하지 말자!

지금까지는 래미에게 사료와 간식 이외에 과일이나 채소를 준 적이 없었는데, 다른 강아지들을 보니 채소류도 잘 먹는 듯 해서 상추를 작게 잘라서 줘 보았다. 래미는 킁킁 냄새 맡고는 안 먹고 고개를 돌린다. 이번엔 밥그릇에 사료랑 섞어서 같이 줬더니 열심히 사료만 골라 먹는다. 앗, 결국 상추를 아예 밥그릇 옆에 빼놓고 먹는 강아지…! 우리 래미 똑똑한데? 아빠랑 같이 보다 완전히 빵 터졌다. 거기다 채소 안 먹고, 엄청 꼭꼭 씹어먹는 것도 엄마랑 똑같아서 괜히 신기하다.

2021년 03월,

이제 래미는 웬만한 외부 소음에는 반응하지 않는다. 집은 안전하다는 걸 깨닫고 굳이 짖을 필요가 없다고 생각하게 된 것 같다.

많이 마음을 열어주었지만 래미는 아직 눈곱을 떼어준다던지, 흐트러진 핀을 빼 준다던지 하면 으르렁거린다. 최대한 귀찮게 안 하려고 노력하지만 케어가 필요한 부분도 있는데, 이럴 때는 약간 속이 상한다. 신기하게도 산책 후 씻을 때는 참아주기는 한다. 그래서 최대한 그때에 이것저것 하지만 하루 한 번 손대는 걸로는 깔끔함을 유지하기 힘들다. 강아지를 돌본다는 건 참 손이 많이 가는 일이다.

그래도 보기만 해도 마음이 따뜻해지는 털뭉치가 집에 있다는 것 그 자체가 참 좋다. 자다가 일어나면 강아지의 보드라운 털과 체온이 느껴진다. 엄마 옆에 꼭 붙어서 자는데 다른 게 아니라 이런 게 행복이구나 싶다. 자다가 발길질을 하기도 하는데 꽤 아프지만 말랑한 발바닥의 감촉이 너무 귀엽다.

래미는 장난감에 관심이 없어서 어떻게 놀아줘야 할지 고민이다. 소리 나는 장난감은 무서워하는 듯해서 치웠고, 공은 던져줘도 멀뚱멀뚱, 인형은 아예 쳐다도 안 본다. 평소 저지레도 전혀 없으니 물건에 아예 관심이 없는 것 같기도 하다. 터그놀이도 시도했지만 실패. 엄마 아빠가 놀아줄 줄을 몰라 재미있게 해 주지 못해서 그런 걸까 싶기도 하지만, 그 전에 뭘 줘도 입에 물지를 않는다. 어쩌면 래미가 생각보다 나이가 더 많아서 장난감 같은 건 이미 졸업했는지도 모르겠다. 가끔 간식을 종이에 살짝 감싼 뒤 바닥에 뿌려서 노즈워크를 해 주긴 하는데 이걸 놀이로 생각하는지는 잘 모르겠다. 역시 산책만이 답인 걸까. 산책을 아주 좋아하는 강아지는 집을 온전히 쉬는 장소로 생각한다는 이야기도 들은 적이 있다. 산책은 매일 나가고 있긴 하지만, 집에서는 심심해하는 게 아닐까?

래미와 함께 할 수 있는 것들에 대해 생각하다, 그동안 차를 꽤 잘 타게 되었으니 강아지랑 같이 놀러 다녀 보기로 했다. 맨 처음 차를 탔을 때는 불안한 듯 이리저리 돌아다니고 낑낑거렸었는데, 지금은 차 안에서도 제법 엎드려서 쉴 수 있게 되었다. 장거리도 중간에 한 번씩 쉬어가면 문제없이 다닐 정도가 되어서, 멀리 바다도 보러 갈 수 있었다(비록 래미는 바다가 낯설었는지 자꾸 육지로 가려고 해서… 그다지 좋아하는 느낌은 아니었지만!). 강아지가 차를 탈 수 있으니 어디든 같이 갈 수 있게 되어 우리 부부의 숨통도 트인 느낌이었다. 래미가 차를 무서워 할 때는 다 함께 멀리 놀러 가는 건 꿈도 못 꿨으니까. 래미도 집에만 있는 것 보다 바깥세상을 구경하러 나가는 것이 더 즐겁겠지? 앞으로 더 넓은 세상을 보면서 같이 추억을 만들어 나가자.

2021년 04월,

어느새 래미의 머리가 길어 완전히 단발 강아지가 되었다. 이제는 사과머리로 묶어주지 않으면 눈이 안 보일 정도이다. 빗질도 나름대로 잘 적응해 주었고, 매일 고무줄과 핀을 어떤 걸로 해 줄지 고민하는 것도 즐겁다. 딸 키우는 재미가 이런 거구나 싶다.

봄이 되니까 산책을 다녀오면 강아지가 씨앗을 달고 들어온다. 강아지와의 산책은 계절의 변화를 확실하게 느끼게 해 준다. 밖에 나가서 새롭게 피어나는 새싹과 꽃을 가까이서 보고 느끼게 한다. 하지만 래미는 딱히 그런 것에는 관심이 없는 것 같다. 꽃도 벌레도 개의치 않고 오로지 다른 강아지의 냄새를 찾아 빠르게 걷는다. 동상이몽인 듯하지만, 봄산책이란 참 따뜻하구나. 확실히 날씨가 좋으면 더 많이 걸을 수 있어서 좋다.

꽃이 화려하게 피어나는 계절이니, 온 가족 다 같이 차를 타고서 벚꽃 드라이브도 했다. 래미도 바깥 풍경을 보며 예쁘다고 생각할까? 잘은 모르겠지만, 그래도 창밖을 보며 봄바람을 느끼는 래미가 제법 기분이 좋아 보였다.

이제 입양 후 반년 정도 되어가니 대부분은 서로 적응해서 큰 불편함은 사라졌는데, 외부인이 집에 방문하면 크게 짖는 문제로 방문 훈련을 받아 보았다. 지금 래미에게 필요한 교육과 문제 상황에서의 대처 방법을 알려 주셨다. 물론 하루아침에 래미가 달라질 수 있는 것은 아니고 보호자의 노력이 함께해야 한다. 그리고 강아지를 대하는 마음가짐에 대해서도 다시 한 번 생각해 볼 수 있어서 도움이 되었다. 앞으로도 꾸준히 교감하며 열심히 교육해야지 다짐했다. 래미의 보호자는 바로 나이니까.

2021년 05월,

며칠 전부터 래미가 누워있다 일어난 자리에 작고 동그랗게 물이 맺혀 이불이 젖어있는 일이 종종 있었다. 처음에는 쉬를 묻힌 건가 싶었는데 냄새를 맡아봐도 아무 냄새도 없고, 색도 점성도 없어서 투명한 물인 듯했다. 아무래도 이상하다는 생각이 들었다. 병원에 가서 진료를 받으니 자궁수종이 의심되는 상태라고 했다. 래미를 데려올 때부터 중성화를 해 줄 생각이 있었지만 오자마자 생리를 하는 바람에 하지 못하고 있었는데, 그 몇 달 사이 자궁에 물이 가득 차서 엄청나게 부풀어 있던 것이다. 고민 없이 바로 자궁수종과 함께, 전에 건강검진에서 진단받았던 유선종양과 탈장까지 한 번에 수술하기로 했다. 계속 때를 기다리고 있었을 뿐, 전부터 수술할 마음의 준비는 하고 있었기에 망설일 것이 없었다.

다행히도 큰 문제 없이 수술은 잘 되었고 3일간 입원을 해야 했다. 수술 후 마취가 깬 뒤 연락이 와서 병원에 갔다. 설명을 먼저 들었는데 유선종양이 곳곳에 있어 절개 부위가 꽤 컸다. 대각선으로 배를 크게 가른 흔적이 있었다. 물이 가득 차 있던 자궁을 적출한 영상도 보여주셨다. 자궁축농증으로 진행되기 전에 발견해 다행이었지만, 자궁이 엄청나게 부풀어 있어 그동안 래미가 많이 불편했을 거라는 생각이 들었다. 탈장은 잘 교정되었고, 종양은 검사를 보낸다고 하셨다(후에 양성종양으로 확인되었다).

드디어 래미를 보러 입원실로 들어가자, 래미는 입원장 안에서 혼자 무통 주사를 맞으며 허공을 향해 작게 아우우… 아우… 하며 하울링을 하고 있었다. 다가가 래미~ 하고 이름을 부르니 엄마를 알아보고 앙! 앙! 엄청나게 짖고 낑낑거렸다. 처음 보는 표정으로, 그동안 아프고 무서웠다고 이야기하는 것 같았다. 아무

것도 모를 강아지에게 미안했지만 한편으로는 기운이 있어 다행이라는 생각도 들었다. 수술이 잘 끝나서 정말 다행이야. 고생했어 미안해 고마워 사랑해. 계속 계속 소리내어 래미에게 말해주었다. 입원하는 동안 하루 한 번 매일 면회를 갔고, 래미는 갈 때마다 울었지만 그래도 3일을 씩씩하게 잘 버텨주었다. 드디어 퇴원 후 집에 돌아오자 아직 기운이 없고 아플 텐데도 래미는 웃는 표정으로 꼬리를 흔들면서 엄청나게 좋아했다. 그래, 여기가 내가 있을 곳이야, 라고 하는 것처럼.

붕대를 칭칭 감은 강아지를 힘들게 할 수 없어 빗질도 눈곱도 다 포기했지만, 약만큼은 꼭 먹여야 했다. 노하우가 없는 초보 엄마는 약을 먹이려고 여러 방법을 시도해 봤지만 서툴기만 했다. 약이 양도 많고 써서 다른 것과 섞어도 쓴냄새가 없어지지 않는지 아무리 맛있는 것과 섞어서 줘 봐도 냄새를 맡고선 귀신같이 먹지를 않는다. 결국 억지로 코 부근에 살짝 묻혀서 먹이니 싫다고 으르르 하는데도 어쩔 수 없이 낼름거리며 핥아먹었다. 그렇게 한바탕 하고 나서도 나중엔 꼭 엄마 옆에 따뜻한 엉덩이를 붙여온다. 미안하고 고마웠다. 약을 열심히 먹고, 중간에 한 번씩 병원에 들러 소독하고 상태를 확인하고 붕대도 새로 갈았다. 래미는 다행히 탈 없이 잘 회복할 수 있었다. 절개 부위가 완전히 아물 때까지는 거의 한 달이 걸렸다.

2021년 06월,

절개 부위가 겨드랑이부터 배까지 너무 길어서 완전히 아물기 전에는 땅에 닿으면 수술한 것이 덧날까 봐 몇 주 동안이나 산책을 못 했었다. 대신 안고서 집 근처를 한 바퀴 돌며 바깥 공기만 쐬는 정도만 해 주곤 했는데, 드디어 수술했던 곳이 딱지까지 깨끗하게 다 떨어졌다. 이제는 평소처럼 목줄을 하고 옷도 입고 마음껏 바깥을 다닐 수 있게 되었다.

아빠의 조금 이른 여름휴가가 잡혀 강아지와 함께하는 본격적인 첫 여행을 다녀왔다. 반려견 동반 가능한 펜션도 카페도 전부 처음 가 봤다. 래미는 새로운 곳에 가면 아주 빠른 발걸음으로 신나게 돌아다닌다. 꼭 스스로 냄새 맡으며 탐색해야 해서 절대 가만히 있는 법이 없다. 그래서 엄청나게 정신이 없는 여행이었다. 거기다 낯선 사람들에게는 여전히 짖으니 힘들기도 했다. 그러다 중간에 일이 생겨 강아지 유치원에 돌봄을 처음 맡겨야 했는데, 우리의 걱정과는 달리 엄마 아빠가 없어도 활발하게 잘 돌아다녔다고 한다. 강아지 친구들은 별로 안 좋아하는지 같이 놀거나 하진 않았지만 오히려 다른 손님에게는 얌전히 안겨있기까지 했다고. 엄마 아빠랑 같이 있을 때랑 다른 모습도 있구나 싶어서 신기했다. 여러모로 우리 강아지를 더 많이 알 수 있는 여행이 되었다.

여행도 같이 다녀오고, 수술과 입원이라는 큰일을 겪어서 그런지 래미가 예전보다 더 감정 표현에 솔직해지고 엄마 아빠와 우리 집이라는 공간에 애착이 생긴 느낌이다. 아빠가 퇴근하고 돌아오면 더욱 활짝 웃으며 반겨주고, 같이 밖에 나갔다가 집에 돌아오면 꼬리를 붕붕 흔들며 좋아한다. 이런 모습을 보니, 너를 더 사랑할 수밖에 없게 된다.

2021년 07월,

여름 산책은 정말이지 쉽지 않다. 낮에는 너무 덥고 뜨거워서 나도 강아지도 힘들다. 평소보다 짧게 하는데도 나갔다가 집에 들어오면 래미가 현관에서 털썩 주저앉는다. 해가 지고 조금이라도 선선해졌을 때 나가면 벌레가 엄청나다. 벌레들도 낮에는 더워서 밤에 활동하는 것 같다.

날이 더워서 그런지 래미도 입맛이 없나 보다. 밥을 깨작거리다 남기고, 썩 잘 먹지를 않는다. 맛있게 잘 먹어주면 좋겠는데. 엄마 마음이 이런 건가 보다. 사실 간식은 엄청나게 잘 먹는데, 그렇다고 해서 밥 대신 간식을 주지는 않는다.

어느 날 래미 배 부분이 빨갛게 된 것을 발견했다. 자세히 살펴보니 수술했던 부위 중 녹는 실밥이 남아있던 곳이 톡 튀어나와 있었다. 병원에 가서 처치를 하고 약도 받아왔다. 다시 당분간 넥카라 신세가 되었다. 다행히 래미는 여전히 넥카라를 좋아한다. 전혀 거부감도 없고 씌워주면 베고서 잠도 너무 잘 잔다. 염증은 병원 다니고 약 먹고 연고 바르면서 돌봐주니 금방 나았다.

이제 하우스 교육을 완벽하게 마스터해서 "하우스!" 하면 집에 쏙 잘 들어간다. 그런데 하우스를 할 수 있게 되었다고 해서 딱히 집을 더 좋아한다거나, 집 안에 잘 들어가진 않는다. 래미는 지붕이 있다고 해서 더 아늑하다고 생각하지는 않는 것 같다. 언제나 거실에 있는 방석이나 침대 위 폭신한 이불에 눕는다. 이것도 다 자기 취향이 있는 거겠지?

2021년 08월,

꾸준히 길렀더니 어느새 래미 머리가 단발을 넘어섰다. 래미는 빗질에 잘 적응해 준 편이지만 어디까지나 싫은데 참는 거라서, 그동안 이것저것 새로운 머리를 해보거나 하기는 좀 어려웠는데 기분이 괜찮은 날 좀 더 시간을 들여 양갈래 머리를 시도해 보았다. 세상에. 너어무 귀엽다. 드디어 엄마의 로망을 실현하게 되었구나. 진짜 생각보다도 더 귀여워서 사진도 영상도 잔뜩 찍었다!

머리가 길어서 예쁘지만 그만큼 관리가 힘든 건 사실이다. 말끔히 빗어놓아도 강아지는 가만히 있는 법이 없다. 머리에 손을 대고, 땅에 마구 비벼서 공들여 묶은 머리가 금방 망가진다. 거기다 털이 아주 얇고 잘 엉키기 때문에 매일매일 빗질은 필수이다. 하루라도 거르면 다음 날 반드시 그 대가를 치르게 된다. 고무줄과 털 사이에 먼지가 모이기 시작하고, 그대로 두면 먼지가 점점 털과 함께 뭉쳐져 하나의 덩어리가 된다. 문제는 엄마는 빗질하는 걸 정말 좋아하지만, 래미는 별로 안 좋아한다는 것. 머리가 조금 엉켜서 빗질하는 시간이 평소보다 더 길어지기라도 하면 그만하라고 엄마의 눈을 빤히 쳐다본다. 그 모습마저 너무 귀엽고 사랑스러운 건… 엄마만 행복한 거니, 미안.

고생했고 미안하니까 빗질 후에는 보상을 후하게 준다. 하기 싫은 일인데도 오랜 시간 잘 참아주었으니까. 래미는 좋아하지 않는데, 오히려 스트레스가 될 텐데, 이게 나만의 욕심이라는 생각에 머리를 잘라줄까도 몇 번이고 생각해 봤었다. 하지만 이렇게 털을 기르는 것도 쉬운 일은 아니기에 막상 아깝기도 했다. 결국은 딱 일 년만 길러볼까 생각을 해 본다. 우리 래미 조금만 더 고생해 볼까? 간식 먹는 기회가 늘어나니까 너도 나쁘진… 않지?

2021년 09월,

한동안 래미가 설사를 해서 병원에 다니고 약도 먹었다. 날씨가 더워서 그랬을까, 뭔가 잘못 먹었을까, 집에서는 평소에 먹던 것만 먹었는데도 혹시라도 상했나, 강아지가 아프면 말이 통하지 않으니 더 걱정이 된다. 그래도 다행히 식사 조절하고 약을 먹으니 금방 좋아졌다. 크게 아픈 것이 아니어서 다행이지만 가벼운 증세에도 동물병원에서의 지출은 절대 가볍지 않다.

래미가 다 나은 뒤 연휴 동안 함께 여행을 다녀왔다. 다른 강아지 친구들도 많이 오는 반려견 동반 식당에 가 봤는데, 강아지가 뛰어놀 수 있을 정도로 마당이 넓은 곳이어서 기대 반 걱정 반으로 우리는 야외 테이블에 자리를 잡고 앉았다. 래미는 처음에 여기가 어딘지 궁금한 듯 넓게 돌아다니더니 나중에는 우리 테이블 주위에만 계속 마킹을 하면서 다른 사람들을 향해 한 번씩 짖었다. 여기 우리 자리니까 아무도 오지 마! 하는 것 같았다. 깡패가 따로 없다. 흑흑. 많이 짖어서 결국은 안고서 힘들게 식사를 했다.

아주 순한 상주견들만 있는 강아지 운동장도 방문해 보았다. 우리가 갔을 때는 다른 손님이 거의 없어 순한 강아지들만 있으니 래미도 그 사이에서 잘 돌아다니고 친구 냄새도 맡았다.

이렇게 여러 가지 경험을 쌓고 다른 친구들도 많이 만나다 보면 산책하면서 주변을 경계하는 것도 덜하지 않을까 하는 생각도 들었다. 길에서 다른 친구를 만나더라도 너에게 해를 끼치지 않아. 그것만 깨닫는다면 먼저 겁먹고 경계하지 않아도 서로 편안할 텐데. 엄마가 도와줄게. 위험할 때는 널 지켜줄테니 걱정하지 않아도 괜찮아. 약속할게.

2021년 10월,

갑자기 래미의 한 쪽 귀가 심하게 부었다. 귀지와 냄새가 엄청났다. 완전히 병원 단골손님이 되었다. 진료를 받았다. 그런데 다녀온 후부터 래미가 귀가 들리지 않는 듯 행동했다. 이름을 불러도 반응이 없고 아무리 큰 소리가 나도 신경조차 안 썼다. 아니, 소리가 난다는 사실을 아예 모르는 듯했다. 아빠가 귀가해도 도어락 소리가 들리지 않으니 나가보지도 않았다. 무엇보다 명령어를 듣지 못해 커뮤니케이션이 안 되었다. 엄마에게 집중하지 않는 눈을 보니 아, 착각이 아니구나. 정말로 귀가 안 들리는구나 싶었다. 아무리 내가 강아지와 함께한 지 얼마 되지 않아도 이 정도는 알 수 있었다. 3일 정도는 정말 거의 소리가 안 들리는 것 같았다. 같은 경우가 있을까 찾아보니, 특정 외용제에 동일한 증상을 보인 사례가 있었다. 혹시 몰라서 약을 중단해 봤더니 이후에는 점차 소리에 반응하기 시작했다. 다행이었다. 일주일쯤 지나자 청력이 예전처럼 돌아왔고 귀지도 사라져서 깨끗해졌다.

다행히도 이번에는 완전히 상태가 좋아졌지만 앞으로 강아지 귀가 안 들리는 때가 또다시 오게 된다면? 혹은, 나이가 들어 눈이나 다른 곳이 제 기능을 못 하게 된다면? 그런 생각을 하지 않을 수 없었다. 래미도 나이가 아주 적지는 않으니까. 언제가 될지 모르지만 그런 때가 온다면, 하는 생각이 들자 지금을 더 소중히 하고 더 충실하게 살자는 마음이 들었다.

아무래도 말티즈는 귀가 덮여있는 견종인데 겉의 털까지 많이 길어버려서 귓속까지 통풍이 잘 안되니 이제 머리를 잘라주기로 결심했다. 딱 일 년 정도 길러봤으니 미련이 없었다. 겁 없는 엄마는 과감하게 가위를 들고 집 화장실에서 귀털을 먼저 잘라버렸다.

잘라져 바닥에 쌓여가는 털을 보니 시원한 기분이 들었다. 긴 뒷머리는 그대로 두고 귀만 짧게 잘랐더니 전체 모양이 이상해져서 결국 뜻밖의 셀프 미용을 이어가야 했다. 그래도 어찌저찌 뒷머리까지 대충 목선에 맞춰서 잘라 주었는데 나름 봐줄 만은 했다. 수습은 나중에 단골 미용실에서 예쁘게 해 주셨다.

이제야 래미를 이동 가방에 넣어서 다니는 연습을 하고 있다. 플라스틱으로 된 이동장은 싫어해서 부드러운 천 가방을 준비해 두고 있었는데, 그동안에는 가방을 답답해해서 같이 목줄을 하고 걷거나 차를 타고 이동하는 것만 했었다. 래미가 밖에서는 산만하다 보니 어딘가 같이 가는 것 자체를 어렵게 느꼈던 것도 사실이다. 그래도 가방에 적응하면 반려견 동반이 가능한 집 앞 마트 정도는 같이 갈 수 있지 않을까 싶어 본격적으로 함께 짧은 외출을 늘려가고 있다. 아직은 어색해하는 것 같지만, 익숙해진다면 앞으로 함께 더 많은 곳을 다닐 수 있겠지! 반려한 지 일 년이 되어도 아직 연습하고 서로 배워나갈 것들이 잔뜩이다.

2021년 11월,

입양하고 일 년 조금 넘게 같이 생활하던 집을 떠나서 새집으로 이사를 했다. 래미는 예전 집에 이제서야 완전히 편안함을 느꼈을텐데, 사정상 집을 옮기고 또 다시 새로운 환경에 적응하게 해야만 해서 미안한 마음이었다. 그래도 래미는 평소 어디에 가든 신나게 탐색하고 다니는 아이니까 걱정하지 않고 강아지를 믿어 보기로 했다.

전날에 호텔링을 맡기고, 다음날 이사를 했다. 짐을 다 들인 후 저녁, 아직 정리가 덜 끝난 새집에 래미를 데려왔다. 하루 만에 엄마 아빠를 만나 꼬리를 붕붕 흔들고 기뻐하다 당연히 원래 집으로 돌아갈 줄 알았는데, 여긴 어디? 다른 곳에 도착해서 그런지 표정이 썩 좋지 않다. 가족들의 물건은 똑같은데 다른 공간에 와서 이상했나 보다. 이후에도 며칠은 어색해서인지 때때로 끙끙거리기도 했다. 그런 때는 평소와 다름없이 편안하게 생활하는 것을 보여주었고, 집 주변의 환경이 궁금할 테니 매일매일 산책도 빼놓지 않고 나갔다. 역시 래미는 금방 적응해 주었다. 일주일쯤 지나니 바로 배를 보이며 편하게 아주 푹 주무신다. 외부 소리에 짖는 일도 거의 없었다.

이제 계속 이곳에서 엄마 아빠랑 같이 지내는 거야. 앞으로도 우리 행복하게 함께하자. 잘 부탁해 우리 래미, 알았지?

강아지 입양 전 나름대로 이것저것 공부도 하고, 용품도 준비하고, 마음의 준비도 확실히 했다고 생각했다. 하지만 처음 겪어보는 강아지와의 생활은 생각보다 더 힘들고 어렵게 느껴졌다.

래미는 입양 당시 예민한 편이었고 몸을 만지면 싫어했다. 엄마 아빠 외의 사람이나 동물들에 대해 경계가 심해 많이 짖었다(왜 새로운 집과 엄마 아빠의 존재는 바로 받아들여 주었는지 의문스러울 정도이다. 집에 오자마자 경계는 커녕 뛰어다니며 좋아했으니). 강아지가 나에게 보내는 짖음과 몸짓 등으로 감정을 캐치해야 했고 당연히 서로 말은 통하지 않았다. 그런 상황에서 어떻게 하면 내가 강아지를 안심시킬 수 있는지 공부해야 했다. 산책 가면 늘 짖는 래미였지만 그래도 같이 매일 나가고 교육도 하며 노력했다. 강아지가 내 마음을 몰라주는 것 같아 고민스럽고 속상하고 화가 날 때도 많이 있었다. 나도 참다가 결국 강아지에게 큰 소리를 내고선 후회하고 자책도 했다. 거기다 아직 적응 중인 강아지를 집에 혼자 두고 나갈 수 없었기 때문에 처음엔 외출은 아예 꿈도 꾸지 못해서 우리 부부의 활동 반경이 줄어들고, 산만한 래미를 데리고 느긋하게 놀러 다닐 수도 없어서 라이프 스타일이 하루아침에 변화해야만 하는 것도 힘들었다. 이 모든 것들이 괴롭게 느껴질 때도 있어서 같이 즐겁게 살고 싶을 뿐이었는데 모든 것을 강아지 탓을 하고 밉게 느껴질 때도 있었다.

사람들은 강아지를 키우며 행복하다는 이야기를 흔히 하지만 그 행복이 그저 당연하게 얻어지는 것이 아니라는 것을 깨닫게 되었다. 처음에는 예쁘고 귀엽다는 생각보다도 오로지 책임감으로 한 달 두 달… 눈물도 흘리고 화도 냈다. 그런 시간들이 지나고 우리는 결국 서로에게 스며들게 되었다. 새로운 가족과 함께하는 데에는 나의 각오와 꾸준한 노력이 필요했다.

아무리 이론을 공부하고 머리로는 알고 있다고 해도 실전은 완전히 다른 일임을 배우는 계기도 되었다. 함께 지내기 위해 책도 읽고 유튜브도 보며 열심히 공부했지만, 그런 것보다도 우리 강아지를 아주 많이 관찰해야 했다. 노력하다 보니 차츰차츰 강아지도 마음을 열어주었고, 멈추지 않고 매일매일 조금씩 해나가면 안 되는 일은 없다는 것을 래미가 나에게 직접 보여주었다. 간식으로 열심히 교육도 하고, 문밖의 세상을 함께 조금씩 겪어가면서 래미는 지금, 아주 많이 달라졌다.

내가 겪어온 모든 일들은 래미가 유기견이었기 때문에 특별히 힘들었던 것은 아니라고 말하고 싶다. 유기견 입양은 물론 더 어렵고 까다롭게 느껴질 수 있다. 정확한 나이도 모르고, 강아지가 과거에 겪었던 일도 알 수 없기에 대부분 조심스럽게 천천히 다가가야 하는 것은 사실이다. 하지만 모든 아이들이 벗어날 수 없는 상처 속에 살아가지만은 않는다. 시간이 얼마나 걸리느냐의 차이일 뿐, 강아지들은 반드시 우리의 마음을 읽고 받아들여 준다.

꼭 반려동물이 아니더라도, 그 어떤 경우라도 새로운 존재를 가족으로 맞이하는 것은 시간이 많이 필요한 일이다. 생각해 보면 나의 결혼생활도 그랬다. 아무리 달콤한 신혼이라지만 처음에는 나와 다른 사람과 맞추어 살아가기 위해서 설득하고, 받아들이고, 어떤 것은 포기하는 것도 필요했다. 마찬가지로 아이가 생긴다고 하면, 이것 또한 비슷한 과정을 겪을 것 같다. 하루아침에 집 안에 자리한 작고 새로운 존재를 온 마음으로 아끼고 지켜줘야 하는 일. 처음에는 의사소통조차도 힘들어 의무감에 해 나갈지라도 점점 서로를 이해하고 받아들이며, 함께하는 시간을 조금씩 쌓아가면서 의지하고 사랑하게 되는 일. 나는 사람 아이는 없지만, 강아지를 통해 엄마의 마음을 조금이나마 느껴볼 수 있었다.

이제 3년이 다 되어가는 래미와의 삶은 어떤가 돌아보면, 우리는 그동안 서로를 꽤 잘 알게 되어 평온해졌다고 생각한다. 입양 후 첫 일 년간은 나의 감정도 오르락내리락했고 래미의 한 달 한 달의 행동 변화가 커서 정말로 버라이어티한 나날이었지만(그래서 아주 특별했고, 기록으로 반드시 남겨두고 싶어 매일 메모를 써두었던 것을 엮은 결과물이 바로 이 래미데이즈이다) 지금은 잔잔한 일상이 이어지고 있다. 잘 자고, 맛있게 밥 먹고, 쉬도 응아도 잘 싸고, 즐겁게 산책하는 매일이 당연해진 우리. 이동 가방에도 훌륭히 적응해 지금은 매우 좋아하게 되어 같이 외출도 자주 한다. 물론 아직까지도 모든 곳을 데리고 다니기에는 불편한 점이 있긴 하지만 더 이상 래미로 인해 엄청나게 힘들지는 않다.

래미는 애교가 많은 강아지는 아니다. 엄마 아빠의 손길도 귀찮아하는 아이라서 함부로 만질 수 없어 애정 표현이 조심스럽다. 어느 정도는 포기했지만 조금 더 온몸으로 사랑을 표현해 줬으면 하는 때도 있다. 하지만 산책할 때에 나에게 발걸음을 맞춰주고, 빗질도 참아주고, 우리 집에서 아무렇지도 않게 배를 보이며 자고, 요구사항이 있으면 나를 빤히 바라보며 눈으로 이야기하고, 어떤 때는 찡찡거리며 거의 사람마냥 웅얼웅얼 말하기도 하고, 내가 누워있으면 엉덩이를 붙여오고, (간식을 바라고)뽀뽀도 잘 해 주는 것이, 래미 나름대로의 사랑의 표현이겠지. 이런 사소한 것이 곧 사랑임을 이제는 안다.

다섯 살이었던 래미는 이제 여덟 살이 되어간다. 시간은 참 빨리도 가는데, 너의 시간은 훨씬 더 빠르다는 실감을 한다. 맨 처음 만났을 적 새카맣던 래미의 눈과 코는 3년도 안 되어 이제 희뿌연 눈과 팥죽색 코가 되었다. 백내장 극초기에, 전체적으로 노화가 시작되었다. 만난 지 얼마 되지도 않은 것 같은데 벌써 한 생명의

내리막길을 지켜보는 일만 남았나 하는 생각도 든다. 래미는 어쩌면 생각보다 더 나이가 많을지도 모른다. 하지만 다른 것은 중요하지 않다. 어떤 길이든 우리는 끝까지 래미와 함께 갈 것이다. 그래도 앞으로 발걸음을 맞춰 걸어갈 그 길이 가파르지 않고 완만하기를 바래본다.

나는 래미에게서 살고자 하는 본능과 의지를 봐 왔다. 가족이 되고 난 뒤에 일 년에 한 번꼴로, 총 두 번의 수술을 거쳤다(본문의 내용 이외에도 22년 가을, 앞으로의 삶의 질을 위해 슬개골 수술을 했다). 그때마다 래미는 씩씩하게 금방 회복하곤 했고 늘 그 작지만 커다란 에너지는 하나의 "삶"을 품고 있는 것을 느꼈다. 그러니 래미는 오래오래 건강하게 엄마 아빠와 함께할 수 있을 거라 믿어 의심치 않는다.

래미는 나의 우주를 온통 흔들고 바꾸어 놓았다. 그것이 나쁜 것이든, 좋은 것이든, 너는 나의 마음에 갑자기 쏙 들어와 그 속을 전부 다 헤집어 버리고서는 모든 것들이 거칠게 흔들린 스노우볼처럼 흩날린 뒤 제자리를 찾아갈 때, 그 중심에서 나를 바라보며 서 있다. 동그란 눈에서 시작되어 코끝에 걸쳐진 너의 시선은 언제나 나에게 맞춰져 있었다. 그렇게 늘 나만을 향해있는 작은 생명체에게 나는 사랑이라는 감정이 생겨났고 널 그림으로 그리고, 글로 쓰고, 무언가의 형태로 만들 수밖에 없게 되었다. 세상에 많고 많은 귀여운 강아지 중에서 유일한 단 한 마리가 나에게 열어준 마음은 너무나 신비롭고 감동적이고 고귀한 것이었다. 훗날 세상에서 형체가 사라져 우리가 다른 차원으로 함께하게 된다고 해도, 내가 평생토록 해야 할 일은 우리 집 강아지 래미를 있는 힘껏 사랑하고, 그 사랑을 무언가의 형태로 표현하는 것이다. 나로 인해 너의 우주도 바뀌었길 바라는 마음을 담아서.

아직 반려하지 않는다면 그 전에 충분히 고민하고 준비하기를.
이해하는 과정이 힘들다면 포기하지 않고 서로의 마음을 들여다 보기를.

래미데이즈 : 강아지 래미와 함께한 첫 일 년간의 기록

ISBN 979-11-978128-2-8 03810
지은이 김민지(KMNJ)
발행일 초판 1쇄 2021년 12월 31일
개정판 1쇄 2023년 10월 14일

발행처 리틀플러피뮤즈
발행인 김민지
출판등록 제399-2022-6호

전자우편 bykmnj@gmail.com
웹사이트 littlefluffymuse.com
인스타그램 @littlefluffymuse